LUDWIG VAN BEETHOVEN

] ~~IO~~

G major
for Pianoforte, Violin and Violoncello
Op. 1 No. 2

Foreword by Max Unger

Dedicated to
Prince Carl V. Lichnowsky

Ernst Eulenburg Ltd
London · Mainz · Madrid · New York · Paris · Prague · Tokyo · Toronto · Zürich

Ludwig van Beethoven:
Three Piano Trios Op. 1.

(Condensed from the German foreword by Max Unger.)

The Piano Trios Op. 1, first published in the summer of 1795, were, naturally, not Beethoven's first compositions. Already in Bonn he had composed several pieces, some of which were published. Apparently the designation "Op. 1" ("Ire Oeuvre") on the title page was merely to indicate that Beethoven himself, having concluded his studies with Johann Georg Albrechtsberger, considered these three trios to be the beginning of his own creative work and wished to have his earlier compositions ignored as artistically immature.

Few details have been handed down to us about the origin and first performances of these three trios (in E-flat, G and C-minor), but more information has been gathered by the author of this foreword from Hermann Deiter's and Hugo Riemann's completion of A. W. Thayers' *Life of Ludwig van Beethoven* and Gustav Nottebohm's *Second Beethoveniana*. Only some of the important points are given here, as a full report on the result of this research work would be too lengthy.

It would appear that the three pieces in question came into being in an earlier version in Bonn as early as 1791 or 1792, for performance at the musical soirées of Kurfürst Max Franz. According to Ferdinand Ries, they were first performed in their new form at a soirée of Count Lichnowsky's, where Haydn was amongst those present. The trios won much acclaim, and Haydn judged them very favourably, advising Beethoven however not to publish the third one (in c-minor) as yet. Beethoven, who considered it the best of the three, ascribed Haydn's attitude to envy and jealousy, which led to a certain tension in the relations between the two composers.

Beethoven came to Vienna in November, 1792, and devoted his first years exclusively to theoretical studies; Haydn, on the other hand, left for London in January, 1794, and did not return until August 1795. It can therefore be assumed with some certainty that this first Viennese performance of the three trios was given by the quartet of Count Carl Lichnowsky in 1793. Ries himself cannot have been present at this first performance, as he only came to Vienna in the spring of 1803. We have another description of a performance of these three trios from Beethoven's friend Dr. Franz Gerhard Wegeler. but it undoubtedly concerns a later performance, probably between October, 1794, and the summer of 1795. Unfortunately there is no information available as to the first *public* performance of the trios, but presumably they were played on that occasion by the same artists who also played them at the palace of Count Lichnowsky: Beethoven himself with the violinist Ignaz Schuppanzigh and the Violoncellist Anton Kraft.

By the summer of 1795 the trios had appeared in print in their final version. The contract which Beethoven made with Artaria & Co. (cf. 3rd Ed. of Thayer-Riemann, Vol. I, pg. 504) was exceedingly favourable for Beethoven himself: Beethoven paid for the plates and the engraving and sold 400 copies of the work (on a subscription basis) on his own account; Artaria was allowed to print as many copies from the plates as they wished for sale abroad. For each of the 400 copies sold on subscription Beethoven paid Artaria one Gulden and charged the subscribers one Dukat (which equalled approx. 7½ Gulden); furthermore, once the 400 subscriptions were sold, Artaria was compelled by contract to buy the plates from Beethoven for 90 Gulden. In this way Beethoven had the advantage both of being his own publisher and of having an outside publisher at the same time, and accordingly there must be in existence two different first prints, one with a list of subscribers, the other with an edition number and the name of Artaria & Co. (For the title page of the piano part cf. pg. 00) After Beethoven's own subscription edition was sold, the work became the sole property of Artaria & Co., who, in 1802, sold their copyright and the plates to the Viennese publisher, Johann Cappi.

Ludwig van Beethoven
Drei Trios für Pianoforte, Violine und Violoncello, Op. 1

Beethovens Klaviertrios in Es, G und
c-moll, die er unter der Bezeichnung «Ire
Oeuvre» zusammengefaßt hat und welche
erstmals im Sommer 1795 erschienen sind,
waren selbstverständlich nicht die erste
Musik, die seiner Feder entstammte. Vielmehr hatte er schon in Bonn eine Reihe
Tonstücke geschrieben und davon bereits
einen kleinen Teil veröffentlicht. Die Bezeichnung «Ire Oeuvre» auf dem Titelblatte sollte offenbar nur besagen, daß
Beethovens künstlerisches Schaffen, nachdem er im Frühjahr 1795 seine Studien
bei dem Theoretiker Johann Georg Albrechtsberger in Wien abgeschlossen hatte, mit der Herausgabe der drei Stücke
einen neuen Anfang nehmen sollte, indem
er seine früheren Werke künstlerisch ge-
wissermaßen für überholt erklärte.

Die Geschichte ihrer Entstehung kann
hier leider, da nur verhältnismäßig wenig
Entwürfe dazu erhalten sind, ebenso wie
die ihrer ersten Aufführungen, worüber
nur wenig Einzelheiten überliefert sind,
nur lückenhaft geschildert werden; jedoch
hat sie der Schreiber dieser Zeilen durch
neuerliche Nachprüfung der Darstellung,
die sich darüber in dem von Hermann
Deiters und Hugo Riemann vollendeten
fünfbändigen Werk «Ludwig van Beethovens Leben» von A. W. Thayer findet,
sodann der Skizzenuntersuchungen, die
Gustav Nottebohm in seiner «Zweiten
Beethoveniana» geboten hat, sowie durch
Einbeziehung einer erst in neuerer Zeit
erschlossenen Quelle in die vorliegende

Einführung doch etwas genauer zu be-
stimmen vermocht. Da die Erörterung
der neuen philologischen Erkenntnisse zu
weit führen würde, legt er an dieser Stelle
hauptsächlich nur das Gesamtergebnis
seiner Untersuchungen dar.

Aus einer alten Notiz, die, wie Thayer
im «Chronologischen Verzeichnis der
Werke Ludwig van Beethovens», Seite 6,
mitteilt, einem alten schriftlichen Katalog
der Werke des Meisters entstammt, ist zu
schließen, daß eine erste Fassung der drei
Stücke bereits 1791 oder 1792 in Bonn
entstanden war — natürlich zu Verwen-
dung bei den Hausmusikern, die der Kurfürst Max Franz im Schlosse seiner Resi-
denz veranstalten ließ. Über die erste
Wiener Wiedergabe hat dann Beethovens
Schüler Ferdinand Ries in seinen «Biogra-
phischen Notizen über Ludwig van Beethoven», Seite 84 f., einen kurzen Bericht
erstattet. Er teilt darin folgendes mit:
«Von allen Komponisten schätzte Beethoven Mozart und Händel am meisten,
dann S. Bach . . . Haydn kam selten ohne
einige Seitenhiebe weg, welcher Groll bei
Beethoven wohl noch aus früheren Zeiten
herstammte. Eine Ursache desselben möch-
te wohl folgende gewesen sein: Die drei
Trios von Beethoven (Opus 1) sollten
zum ersten Male der Kunstwelt in einer
Soirée beim Fürsten Lichnowsky vorge-
tragen werden. Die meisten Künstler und
Liebhaber waren eingeladen, besonders
Haydn, auf dessen Urteil alles gespannt
war. Die Trios wurden gespielt und mach-

ten gleich außerordentliches Aufsehen. Auch Haydn sagte viel Schönes darüber, riet aber Beethoven, das dritte in c-moll nicht herauszugeben. Dies fiel Beethoven sehr auf, indem er es für das Beste hielt, so wie es denn heute auch noch immer am meisten gefällt und die größte Wirkung hervorbringt. Daher machte diese Äußerung Haydns auf Beethoven einen bösen Eindruck und ließ bei ihm die Idee zurück: Haydn sei neidisch, eifersüchtig und meine es mit ihm nicht gut. Ich muß gestehen, daß, als Beethoven mir dieses erzählte, ich ihm wenig Glauben schenkte. Ich nahm daher Veranlassung, Haydn selbst darüber zu fragen. Seine Antwort bestätigte aber Beethovens Äußerung, indem er sagte, er habe nicht geglaubt, daß dieses Trio so schnell und leicht verstanden und vom Publikum so günstig aufgenommen werden würde.»

Da der junge Beethoven im November 1792 zur Beendigung seiner Studien nach Wien reiste und — nach einem erst vor ein paar Jahrzehnten aufgefundenen Briefe — während seiner ersten dortigen Studienjahre ausschließlich theoretische Studien betrieb, da ferner Haydn im Januar 1794 seine zweite Reise nach London antrat, von der er erst im August 1795 zurückkehrte, ist ungefähr als sicher anzunehmen, daß die drei Trios in Wien erstmals im Jahre 1793 beim Fürsten Carl Lichnowsky von dessen ständigem Hausquartett aufgeführt worden sind. Ries kann bei der Erstaufführung der Stücke nicht selber zugegen gewesen sein, weil er erst im zeitigen Frühling 1803 nach Wien kam; vielmehr muß er das von ihm wie-

dererzählte Geschichtchen aus Beethoven eigenem Munde gehabt haben. Daß übri gens Haydn auf Beethoven neidisch un eifersüchtig gewesen sei, beruht sicherli auf einem Fehlschluß seines schon se seiner Jugendzeit ewig mißtrauische Schülers. Konnte sich Haydn doch scho lange im Zenith seines Ruhmes sonnen und so hatte er es gewiß nicht nötig, au seinen jungen Schüler neidisch zu sein.

Ein anderer Bonner Jugendfreund de Meisters, der Arzt Dr. Franz Gerhar Wegeler, der seine eigenen «Biographi schen Notizen über Ludwig van Beet hoven» gleichzeitig mit den von Ferdi nand Ries hinterlassenen Erinnerunge herausgegeben hat, beschreibt eine ander Wiedergabe von Beethovens Trios Op. 1 wobei es sich offenbar aber schon um ein spätere Bearbeitung (wahrscheinlich di noch nicht ganz beendete gedruckte) han delte. Sein Bericht, der auf S. 28 f. steht lautet: «Der Fürst (Lichnowsky) war ei großer Liebhaber und Kenner der Musik er spielte Klavier und suchte dadurch, da er Beethovens Stücke studierte und bal mehr, bald weniger geschickt ausführte diesem, den man häufig auf die Schwierig keiten seiner Kompositionen aufmerksam machte, zu beweisen, daß er nicht nöti habe, in seiner Schreibweise etwas zu än dern. Jeden Freitag morgen ward Musi bei ihm gemacht, wobei außer unserem Freunde noch vier besoldete Künstler nämlich Schuppanzigh, Weiß, Kraft un noch ein anderer (Linke?), dann gewöhn lich auch ein Dilettant, Zmeskall, täti waren. Die Bemerkungen dieser Herre nahm Beethoven jedesmal mit Vergnüge

n. So machte ihn, um nur eins anzuführen, der berühmte Violoncellist Kraft in meiner Gegenwart aufmerksam, eine Passage in dem Finale des dritten Trios, Op. , mit ‚sulla corda G' zu bezeichnen, und in dem zweiten dieser Trios, den $^4/_4$-Takt, mit dem Beethoven das Finale bezeichnet n den $^2/_4$ umzuändern. Hier wurden die neuen Kompositionen Beethovens, insofern sie dazu geeignet waren, zuerst aufgeführt. Hier fanden sich gewöhnlich mehrere große Musiker und Liebhaber in. Auch ich war, solange ich in Wien lebte, meistens, wo nicht jedesmal, dabei zugegen.» Bei dieser Schilderung kann es sich nur um eine Vorführung gehandelt haben, die in der Zeit zwischen dem Oktober 1794 und dem Sommer des nächsten Jahres stattgefunden hat, denn Wegeler lebte in Wien vom Oktober 1794 bis Mitte 1796, und Beethoven hat, wie schon Nottebohm a. a. O. S. 25 erörtert hat, Krafts Vorschlag noch angenommen, den Takt des Finales des zweiten Trios zu verändern. Zu Anfang des Sommers 1795 lagen aber alle drei Trios in der endgültigen Fassung gedruckt vor. Leider ist bisher noch nicht ermittelt worden, wann und wo die Trios zum ersten Male **öffentlich** wiedergegeben worden sind; doch ist anzunehmen, daß daran (wie bei den Vorträgen im Hause Lichnowsky), außer Beethoven selbst, der Geiger Ignaz Schuppanzigh und der Violoncellist Anton Kraft beteiligt waren.

Beethoven hat über sein Op. 1 mit dem *Wiener Verlag Artaria & Co., dessen Hauptinhaber damals Domenico Artaria war, unter dem 19. Mai 1795 einen hoch-*

notpeinlichen und für ihn selber äußerst günstigen Vertrag abgeschlossen. Das Schriftstück, das sich gegenwärtig in der großen Beethovensammlung von Dr.med. Dr. phil. h. c. H. C. Bodmer in Zürich befindet, kann in den meisten größeren Briefsammlungen sowie in der 3. Auflage des 1. Bandes von Thayer-Riemanns großer Darstellung von Beethovens Leben, S. 504, nachgelesen werden. Welch ein einzigartiger Fall dabei vorlag, ist, wie es scheint, von den Beethovenschriftstellern bisher noch gar nicht bemerkt worden. Es handelt sich dabei nämlich teilweise um einen Selbstverlag des jungen Meisters; denn wie aus dem Vertrag hervorgeht, hat Beethoven die Platten und den Stich des Werkes selbst bezahlt und 400 Exemplare davon auf eine Subskription, worauf er in der «Wiener Zeitung» einlud, herausgegeben. Andernteils durfte Artaria gleichzeitig für den Verkauf im Ausland so viele Exemplare drucken lassen, wie ihn gut dünkte. Auf dem Titel von Beethovens Subskriptionsauflage war selbstverständlich kein Verlag angegeben; dagegen trug natürlich die gleichzeitige Auflage, die Artaria für die Ausfuhr ins Ausland herstellen ließ, seine Firma. Der Meister hat somit gleich bei diesem seinem ersten großen Werke die Geschäftstüchtigkeit bekundet, die er während seines ganzen Lebens immer von neuem bewährt hat. Obwohl nie wieder ein Werk von ihm im Selbstverlag erschienen ist, hat er doch immer wieder aus seinem geistigen Eigentum möglichst hohe Honorare herauszuschlagen versucht. Zu seinem Op. 1 sei hier im Blick auf seinen Gewinn bei dem Geschäfte nur noch erwähnt, daß er für jedes Exemplar der Trios an Artaria einen Gulden bezahlte und dafür von seinen privaten Abnehmern einen Dukaten (nach damaligem Werte etwa 7¹/₂ Gulden) forderte. Außerdem mußte ihm Artaria, nachdem die Selbstauflage erschöpft war, die Platten des Werkes um den Preis von 90 Gulden abkaufen.

Angesichts der geschilderten Lage der Sache müssen zwei Erstausgaben mit Titeln vorhanden sein, die voneinander abweichen. Der Druck, den Beethoven in seiner Wohnung verkaufte, enthielt gar keine Verlagsangabe, jedoch als Beilage ein Subskriptionsverzeichnis. Der Titel der Klavierstimme lautet nach dem Exemplar, das sich in der «Deutschen Staatsbibliothek, Berlin» befindet, wie folgt:

TROIS TRIOS

Pour le Piano Forte

Violon et Violoncello

Composés et Dediés

à Son Altesse Monseigneur le Prince

CHARLES de LICHNOWSKY

par

LOUIS van BEETHOVEN

Iʳᵉ Oeuvre Nʳᵉ I [II, III]

Der Verlag hatte die Trios gemäß der Forderung, die Beethoven in dem Vertrag gestellt hatte, «rein und schön, auch mit einem zierlichen Titelblatte versehen», stechen und auf dem in klassizistischer Weise umrahmten Titel die Schriften wie üblich in ihrer Größe und ihrem Charakter voneinander abheben lassen. Nachdem

die Subskriptionsausgabe des Meisters vergriffen war, anscheinend nach der Mitte Oktober 1795, ging das Werk ins alleinige Eigentum von Artaria & Co. über. Diese verkauften das Verlagsrecht und die Platten des Werkes im Jahre 1802 dem Wiener Verlag Johann Cappi.

Dr. Max Unger

Trio

I

L. van Beethoven, op.1 no.2
1770 - 1827

Ernst Eulenburg Ltd.
London — Zürich

E.E.1223

attacca subito l'Allegro

4

26

E.E.1223

II

Largo con espressione

28

29

E.E.1223

III

Scherzo

Allegro

40

Coda

Scherzo da capo
e poi la Coda

IV

Finale
Presto

45

52

53

E.E.1223

E.E.1223

58

E.E.1223

60

E.E.1223

62

E.E.1223